Le P... ...
Écossaise

Paul Harris

ILLUSTRATIONS DE KAREN BAILEY

Première édition par
The Appletree Press Ltd,
19-21 Alfred Street, Belfast BT2 8DL
Tél +44 232 234074 Fax +44 232 246756

Le Petit Livre de la Cuisine Ecossaise

Ce livre figure sur le catalogue
de la British Library.

ISBN : 0-86281-485-5

9 8 7 6 5 4 3 2 1

Introduction

Il n'est pas dans mon intention de faire ici l'inventaire complet de la cuisine écossaise. D'autres y ont consacré de nombreux volumes plus conséquents. Pour ceux qui seront mis en appétit, une bibliographie de livres recommandés est donnée à la fin du livre. Ce livre, qui est plutôt un recueil, contient un certain nombre de recettes de mes plats favoris, représentatifs, selon moi, de la cuisine typiquement écossaise.

L'Ecosse est un vaste garde-manger, qui abonde en poissons, volailles, et gibier, et un grand nombre de ces recettes qui reflètent cette abondance en venaison, faisans, grouses, saumons et autres produits, peuvent être considérées par certains comme des mets de luxe. Cependant, dans ce recueil l'équilibre est rétabli avec les recettes traditionnelles de soupes et de plats de poissons et de viandes, qui font le régal des pêcheurs et des petits fermiers d'Ecosse depuis des générations. Lisez et régalez-vous.

Sauf avis contraire, toutes les recettes sont données pour quatre personnes d'un appétit normal.

Porridge

"L'avoine et les céréales, qui sont généralement donnés aux chevaux en Angleterre, ... servent en Ecosse à nourrir les gens."

Dr Johnson

Peu de gens contrediraient l'affirmation de Robbie Burns que le porridge est "la principale nourriture de l'Ecosse". Il y a deux choses importantes à retenir : toujours parler du porridge au pluriel et "les" manger en se tenant debout. Pour obtenir les meilleurs résultats il faut aussi laisser tremper la farine d'avoine toute une nuit.

---

600 ml d'eau
50 g. de farine d'avoine
1 cuillère à café rase de sel

Faire bouillir l'eau, ajouter le sel, y verser en pluie la farine d'avoine. Porter à ébullition et couvrir. Faire mijoter 30 à 40 minutes en remuant fréquemment. Si la farine d'avoine moins fine est utilisée augmenter le temps de cuisson.

Le trempage la veille permet de réduire le temps de cuisson.

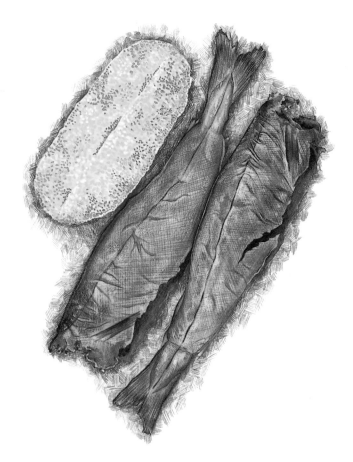

Les harengs dans la farine d'avoine

La nourriture de base de nombreux Ecossais depuis des siècles, les harengs sont très souvent mangés au petit-déjeuner. Lorsqu'ils sont ouverts avant d'être saurés, ils sont connus sous le nom de 'kippers'.

---

4 harengs (nettoyés)
100 g. de farine d'avoine moyennement fine
2 cuillères à café de sel
1 pincée de poivre
de la matière grasse pour la cuisson

Retirer les arêtes du poisson. Mélanger le sel et le poivre à la farine d'avoine et recouvrir chaque hareng des deux côtés. Bien presser le mélange de farine d'avoine assaisonné sur le poisson.

Faire chauffer un peu de matière grasse dans une poêle à frire. Faire frire à feu moyen pour obtenir une couleur dorée, retourner le poisson et faire frire l'autre côté (environ 3 minutes par côté).

Egoutter le poisson. Servir avec du citron et du persil.

Arbroath Smokies (Haddocks au lait)

Ce sont de petits haddocks, nettoyés et salés, mais qui ne sont pas ouverts. Ils sont attachés en paire par la queue, puis suspendus sur des broches de bois au-dessus d'un feu – de préférence un feu de bois de chêne ou de bouleau argenté.

| *4 haddocks entiers* | *sel et poivre* |
| *450 ml de lait* | *beurre* |

Séparer les paires d'Arbroath smokies et les mettre dans un plat peu profond. Verser sur les poissons le lait et ajouter le sel et le poivre, parsemer de petits morceaux de beurre, recouvrir de papier aluminium. Cuir à four modéré (thermostat no. 4, 180°C) pendant 25 à 30 minutes.

Aberdeen Butteries (Petits pains d'Aberdeen)

Ces petits pains sont une affaire de goût. On dit que les pêcheurs d'Aberdeen les emportaient avec eux en mer : la matière grasse les auraient permis d'affronter les rigueurs du froid dans la mer du Nord. Il reste bien peu de pêcheurs aujourd'hui, il est donc difficile de vérifier cette anecdote.

La recette ci-dessous vous permet de confectionner environ deux douzaines d'Aberdeen butteries.

---

450 g. de farine
25 g. de levure de boulanger (¹/₂ cuillère à soupe de levure sèche)
1 cuillère à soupe de sel
300 ml d'eau tiède
175 g. de saindoux
175 g. de beurre ou de margarine
1 cuillère à soupe rase de sucre en poudre

Tamiser la farine dans un grand bol de préparation réchauffé. Mélanger la levure, le sel et le sucre et ajouter la farine avec l'eau tiède. Mélanger le tout et laisser reposer recouvert d'un linge humide chaud dans un endroit chaud.

Battre les matières grasses ensemble jusqu'à ce qu'elles soient bien mélangées, puis diviser en trois parties. Etendre en forme de

bande la pâte à l'aide d'un rouleau à pâtisserie sur une surface farinée. Mettre la matière grasse sur la pâte, puis plier en trois. Etendre à nouveau avec le rouleau à pâtisserie, comme pour une pâte feuilletée. Répéter l'opération deux fois. Diviser en formes de petits pains ovals.

Placer les petits pains séparés sur une plaque graissée et saupoudrée de farine et laisser reposer dans un endroit chaud pendant encore environ trente minutes, puis faire cuire dans un four assez chaud (thermostat no. 6, 200°C) pendant 20 à 25 minutes. Diminuer la chaleur pendant la cuisson.

Potted Hough (Jarret en Terrine)

Ce savoureux plat peut être servi en hors d'œuvre. La terrine est une méthode ancienne de conservation de la nourriture.

---

450 g. de jarret de bœuf
900 g. d'os de jarret de bœuf
1 cuillère à café de sel
6 grains de toute-épice
6 grains de poivre
1 petite feuille de laurier
1 pincée de paprika

Mettre la viande et l'os dans une casserole et couvrir avec de l'eau. Porter à ébullition et laisser mijoter pendant 3 heures.

Découper la viande en petits morceaux. Retirer la viande de l'os. Remettre l'os dans la casserole et ajouter le sel et les grains toute-épice, les grains de poivre, la feuille de laurier et le paprika, porter à l'ébullition jusqu'à réduction de moitié du liquide. Mettre la viande dans un grand moule et recouvrir du jus laisser refroidir et prendre en gelée au réfrigérateur. Démouler le lendemain, ce plat peut être accompagné d'une salade.

Stovies

C'est un plat simple et cependant délicieux. Les pommes de terre doivent être de bonne qualité et de taille égale. Le nom 'stovies' vient du mot français "étouffer", c'est-à-dire cuit dans un plat couvert.

---

15 g. de beurre
2 tranches fines de bacon (coupées en dés)
450 g. de pommes de terre
1 gros oignon
300 ml d'eau chaude
sel et poivre

Faire fondre le beurre dans une cocotte. Eplucher et couper en tranches l'oignon, le faire revenir dans la cocotte avec le bacon. Eplucher et couper en tranches les pommes de terre et les ajouter à l'oignon et au bacon. Assaisonner et ajouter l'eau afin qu'elle remplisse environ 1 cm de la cocotte. Mettre le couvercle et faire cuire à feu doux une heure à une heure et demie. Remuer au cours de la cuisson pour empêcher les pommes de terre d'attacher.

Scotch Woodcock

Un savoureux plat facile à préparer et très appétissant.

---

15 g. de beurre	une pointe de sauce piquante au
1 cuillère à soupe de lait	piment rouge
1 œuf	une tranche fine de toast
sel et poivre	des filets d'anchois
1 pincée de paprika	des câpres

Faire fondre le beurre, battre l'œuf, ajouter le lait et l'assaisonnement, et brouiller l'œuf. Beurrer le toast et recouvrir de l'œuf brouillé. Placer l'anchois en diagonale sur les œufs et mettre une câpre de chaque côté.

Forfar Bridies

Les croustades de viande de bœuf individuelles de Forfar, Angus, furent immortalisées par J.M. Barrie dans 'Sentimental Tommy'. Ce sont les équivalents écossais des Cornish pasties (des petits pâtés de Cornouailles).

Farce	Pâte
450 g. de paleron	450 g. de farine
75 g. de graisse de bœuf préparée	1 pincée de sel
1 oignon (finement coupé)	100 g. de margarine
sel et poivre	100 g. de saindoux

Passer la farine et le sel au tamis, ajouter le saindoux et la margarine coupés en morceaux, et incorporer à la farine. Ajouter un peu d'eau froide pour obtenir une pâte ferme, sur une surface saupoudrée de farine pétrir la pâte doucement. Diviser la pâte en quatre parties. Dégraisser le morceau de viande, puis l'attendrir. Couper la viande en fines lamelles et mélanger au saindoux et à l'oignon, bien assaisonner. Etendre au rouleau les quatres morceaux de pâte pour obtenir quatres cercles de 15 cm. Repartir la farce également dans chaque cercle de pâte, replier la pâte sur la farce puis mouiller les bords et pincer ensemble pour les sceller.

Pratiquer au centre de chaque 'bridie' une petite ouverture à l'aide d'une brochette. Cuir au four pendant 20 minutes (thermostat no. 6, 200°C). Réduire la température du four à thermostat no. 4, 180°C, et faire cuire encore de 35 à 40 minutes ou jusqu'à ce que les 'bridies' aient une belle couleur dorée.

Servir chaudes avec des petits pois et des pommes de terre.

Scots Mince

Ce plat écossais nourrissant et traditionnel porte quelquefois le nom de "Scotch Collops". Ce nom vient du mot français 'escalope', qui veut dire des tranches fines de viande. Ce plat est resté jusqu'à ce jour un des plats les plus populaires d'Ecosse.

450 g. de beefsteak haché de la meilleure qualité (bien tassé)	300 ml de bouillon de bœuf
1 oignon moyen (épluché et coupé en tranches)	2 feuilles de laurier
	1 cuillère à soupe rase de farine d'avoine
sel et poivre	15 g. de graisse de rôti

Faire fondre la graisse dans une casserole, y ajouter l'oignon et le faire frire pendant quelques minutes. Ajouter le beefsteak haché, bien faire doré en remuant constamment pour éviter la formation de boulettes. Saler, poivrer et ajouter le bouillon avec la farine d'avoine et les feuilles de laurier. Laisser mijoter pendant environ 45 minutes ou jusqu'à ce que la viande soit cuite. Servir avec une purée. Les navets peuvent être servis en supplément.

Oatcakes (Galettes d'avoine)

Froissart, l'ancien chroniqueur du XIVème siècle nota que les soldats écossais, sans exception, portaient sur eux une assiette plate et un petit sac de farine d'avoine. En y ajoutant un peu d'eau, ils pouvaient toujours se confectionner une galette d'avoine sur un feu.

Si nécessaire, une poêle à frire lourde peut être utilisée à la place de la plaque chauffante. Chauffer avant l'utilisation. Voici la recette de Janet Murray.

450 g. de farine d'avoine fine	1 cuillère à soupe de bicarbonate de soude
1 cuillère à soupe de matière grasse liquide	1 cuillère à café de sel de l'eau bouillante

Du gras de rôti ou de la graisse de bacon fondue, de bonne qualité, est idéal pour la confection des galettes d'avoine. Mettre la farine d'avoine dans un bol, ajouter le sel et le bicarbonate de soude, puis verser la matière grasse et mélanger légèrement. Maintenant verser rapidement assez d'eau pour obtenir une pâte molle, en faire une boule.

Saupoudrer de la farine d'avoine sur une planche à pain et y pétrir la pâte, travailler pour obtenir une boule lisse. Etendre la pâte avec les poings, saupoudrer de farine d'avoine et étendre la pâte au rouleau en une abaisse d'environ 3 mm d'épaisseur. Avec la paume de la main enlever la plupart des grains de farine d'avoine puis brosser avec un pinceau à pâtisserie.

Couper les gâteaux en triangles et faire cuire sur une plaque très chaude en tournant les gâteaux lorsqu'ils brunissent. Finir la cuisson devant le feu ou dans un four chaud.

Butterscotch (Caramel dur au beurre)

Les gourmands se régaleront avec le butterscotch au goût crémeux et sucré. Cette recette permet d'en confectionner environ 450 grammes.

---

450 g. de sucre roux
225 g. de beurre (battu)
le jus d'un citron

Faire fondre le sucre roux dans une casserole. Lorsqu'il devient liquide ajouter le beurre et le citron. Porter à ébullition, tout en remuant doucement pendant environ 15 minutes. La bonne consistance est obtenue lorsqu'une goutte de la mixture versée dans de l'eau très froide se solidifie.

Battre cette mixture fermement pendant 5 minutes et la verser dans un moule beurré. Quand elle a légèrement refroidi, dessiner des carrés avec la pointe d'un couteau. Lorsque la préparation sera tout à fait refroidie elle se solidifiera. Taper sur le fond du moule avec un rouleau à pâtisserie et les carrés se détacheront.

A la place du citron certains préfèrent le goût du gingembre, on peut donc substituer au citron une grande cuillère à café de gingembre en poudre.

Shortbread (Sablés)

Autrefois, on mangeait du shortbread surtout à la Saint-Sylvestre ou à Noël. Maintenant, bien sûr, on en mange toute l'année, bien que la tradition vient de l'ancien bannock de Noël (un pain plat et rond cuit sans levain), avec ses encoches taillées dans la circonférence représentant les rayons du soleil.

---

100 g. de farine
50 g. de farine de riz
100 g. de beurre
50 g. de sucre en poudre

Tamiser la farine de froment et la farine de riz. Ajouter le sucre et le beurre, mélanger le tout pour obtenir la consistance de la pâte brisée. Couper la pâte en forme de carré puis découper ce carré en rectangles. Pincer les bords et piquer le dessus à la fourchette.

Cuire dans un four à chaleur régulière (thermostat no. 3, 160°C), jusqu'à ce qu'ils commencent à dorer, puis ralentir la température du four et cuire encore 45 à 60 minutes.

Laisser refroidir sur une plaque.

Cock-a-Leekie

Cette soupe est probablement la soupe la plus célèbre d'Ecosse et elle figure souvent au menu des soupers qui commémorent le poète Robbie Burns ou des dîners de la Nuit de St. Andrew. De la plus humble ferme au palais royal le plus magnifique, c'est la soupe favorite. Voici la recette spéciale de Rosa Mattravers, cuisinière de Lady Theodora Forbes, à Donside dans l'Aberdeenshire.

---

1 volaille à cuire au court-bouillon
1 gros os à moelle de veau ou de bœuf (si on le désire)
3 couennes de bacon pas trop maigre (coupé en dés)
sel et poivre
12 poireaux (coupés en rondelles)
100 g. de pruneaux cuits
persil, thym et une feuille de laurier

Placer le poulet, le bacon, les os coupés, les plantes aromatiques et la plus grande partie des poireaux dans une grande casserole et couvrir d'eau. Mettre le couvercle et laisser mijoter 2 à 3 heures en rajoutant de l'eau si nécessaire, jusqu'à ce que la volaille soit cuite.

Assaisonner selon le goût, puis passer la soupe, couper le poulet en morceaux pour être servi, et retirer les os à moelle. Ajouter ceux-ci à la soupe, avec les pruneaux dénoyautés, et le restant des poireaux coupés. Laisser mijoter à feu doux environ 10 à 15 minutes.

Partan Bree (Soupe aux crabes)

'Partan' est le mot écossais pour crabe et 'bree' veut dire un liquide. C'est traditionnellement la soupe favorite des pêcheurs écossais.

---

175 g. de riz
600 ml de lait
1 gros crabe cuit au court-bouillon
600 ml de bouillon blanc
8 gouttes d'essence d'anchois
8 gouttes de sauce piquante de piment rouge
sel et poivre
du macis
450 ml de crème fraîche liquide
poivre de Cayenne à volonté

Cuire le riz dans le lait jusqu'à ce qu'il devienne tendre. Retirer la chair du crabe et la mettre de côté. Passer au moulin le riz, le lait et les morceaux de crabe. Ajouter le bouillon, l'essence d'anchois, la sauce piquante et assaisonner à volonté. Porter à ébullition et ajouter une pincée de macis et la crème fraîche. Garnir avec des morceaux de la chair des pinces du crabe et du poivre de Cayenne.

Cullen Skink (Soupe de Cullen)

Voici une recette traditionnelle de soupe de la région de Moray Firth, au nord-est de l'Ecosse. Le mot 'skink' vient du gaélique et veut dire 'essence'.

1 gros haddock fumé	15 g. de beurre
1 oignon coupé en dés	sel et poivre
900 ml de lait	du macis
de la purée de pommes de terre	2 cuillères à soupe de crème fraîche
	du persil

Retirer la peau du haddock et après l'avoir mis dans une casserole peu profonde, ajouter de l'eau froide pour le couvrir. Porter doucement à l'ébullition. Laisser mijoter jusqu'à ce que le haddock ait une consistance crémeuse.

Retirer de la casserole et séparer la chair des arêtes, et émietter le poisson. Remettre les arêtes dans l'eau de la casserole et ajouter l'oignon. Couvrir et laisser mijoter doucement 20 minutes. Passer ce bouillon.

Mettre ce bouillon dans une casserole propre et porter à ébullition. Dans une deuxième casserole porter à ébullition le lait et y ajouter le bouillon et le poisson émietté. Laisser mijoter 3 à 4 minutes, mais ne pas laisser attacher au fond de la casserole. Incorporer la purée de pommes de terre chaude pour obtenir une consistance crémeuse. Ajouter le beurre petit à petit, puis le sel et le poivre, et du macis, selon le goût. Mélanger la crème fraîche à la soupe et avant de servir parsemer de persil le dessus de la soupe chaude. Servir avec de fines tranches de toast.

Scotch Broth (Bouillon écossais)

Ce plat porte aussi le nom de 'bouillon d'orge'. Boswell nota que le Docteur Johnson avait son franc-parler à propos de cette nourrissante soupe :

"... vous n'en aviez jamais mangé ?"

"Non, Monsieur," répondit Johnson "et je ne suis pas pressé d'en remanger."

(Journal d'un voyage dans les Hébrides, 1786)

---

450 g. de collier de mouton (flanchet ou jarret), alternativement du flanchet de jarret de bœuf

1 litre d'eau froide

25 g. d'orge

sel et poivre

1 navet moyen (coupé en dés)

1 poireau

35 g. de petits pois écossés

1 carotte (râpée)

1 cuillère à café de persil coupé

1 petit morceau de chou (râpé)

Mettre la viande dans une marmite, la recouvrir d'eau. Ajouter le sel et l'orge bien lavé. Porter à ébullition et écumer. Ajouter le poivre, le navet coupé en dés, les petits pois et le poireau. Laisser mijoter pendant 1 heure et demie. Une demi-heure avant de servir, ajouter la carotte et le chou râpés.

Lorsque la cuisson est terminée, sortir la viande la désosser puis, la couper en dés et la remettre dans la marmite. Ajouter le persil et servir chaud. On peut choisir les légumes selon la saison.

Skye Prawns (Crevettes rose de Skye)

Les crevettes rose de Skye seront délicieusement accompagnées par cette sauce, qui bien que n'étant pas traditionnelle en relève parfaitement le goût.

450 g. de grosses crevettes
1 citron
150 ml de mayonnaise
2 cuillères à café de purée de tomate
1 cuillère à soupe de crème à fouetter
1 pincée de paprika
1 soupçon de sauce piquante au piment rouge
poivre

Mélanger la mayonnaise, la purée de tomate, le paprika et la sauce piquante. Assaisonner selon son goût. Cuire les crevettes dans de l'eau salée pendant 2 minutes seulement. Décortiquer les crevettes. Incorporer la crème à la sauce et servir avec les crevettes. Garnir de rondelles de citron et de crevettes entières (non-décortiquées).

West Coast Mussels (Moules de la côte ouest)

Les moules des lochs maritimes de la côte ouest sont délicieuses. Bien les gratter et les cuire dans de l'eau. Jeter les moules qui ne se sont pas ouvertes. Ce plat est le plat de prédilection de Lady Glentruim, servi au Château de Glentruim, à Inverness dans les Highlands.

---

450 g. de moules cuites
100 g. de beurre
50 g. de chapelure
4 cuillères à soupe de vin blanc
1 petit oignon
1/2 gousse d'ail
sel et poivre

Utiliser la moitié de la quantité de beurre pour faire frire la chapelure, dans l'autre moitié faire frire les oignons émincés et l'ail. Dans un plat peu profond mettre les moules, les oignons, l'ail et l'assaisonnement, recouvrir de vin et de chapelure. Mettre dans un four préalablement chauffé (thermostat no. 5, 190°C) pendant 10 à 15 minutes et servir très chaud.

Salmon Steaks (Tranches de saumon)

Ce roi des poissons demande peu de préparation ou de garniture. Voici une recette simple.

---

4 tranches de saumon (environ 2 cm d'épaisseur)
sel et poivre
2 cuillères à soupe de beurre fondu
persil
citron

Essuyer les tranches de saumon avec un linge humide et badigeonner les tranches avec le beurre fondu. Assaisonner avec le sel et le poivre de chaque côté. Placer les tranches sous un gril chaud. Griller de chaque côté pendant environ 5 minutes. Servir avec du persil et des tranches de citron.

Roast Pheasant (Faisan rôti)

La poule faisane a généralement meilleur goût que le coq au beau plumage. Laisser attendre le faisan pendant un certain temps. La tradition veut que le faisan soit prêt à manger quand après avoir été suspendu par la queue dans une cave pendant quelques jours le corps s'en détache et tombe.

---

1 faisan
1 petit morceau de beurre
de la gelée de groseille
1 orange
des tranches de bacon gras
1 petit verre de Bordeaux

Plumer et vider le faisan (si c'est la première fois que vous faites cette opération vous devez consulter un ouvrage spécialisé et en suivre les instructions). Mettre le morceau de beurre, la gelée de groseille et l'orange à l'intérieur du faisan, pour qu'il ne se dessèche pas. Placer les tranches de bacon sur les blancs du faisan. Mettre le faisan sur une grille au-dessus d'un plat dans le four.

Cuire à feu moyen pendant 45 à 60 minutes. Un peu avant la fin de la cuisson arroser le faisan avec le jus récupéré dans le plat. Remettre au four (thermostat no. 7, 220°C) et laisser dorer pendant environ 10 minutes.

Présenter le faisan sur un plat de service accompagné d'une sauce préparée avec le jus dégraissé, auquel on aura ajouté $1/4$ de litre d'eau froide, retirer la graisse solidifiée, puis porter à ébullition ajouter le vin et l'assaisonnement. Servir avec de la sauce, de la sauce à la mie de pain, sauce aux airelles ou de la gelée au vin de Bordeaux.

Pigeon Casserole (Pigeon à la cocotte)

Autrefois on trouvait de nombreux pigeonniers en ville et à la campagne, et les pigeons représentaient une source supplémentaire de viande très appréciée. Le pigeon est bon marché et avec son délicieux parfum particulier c'est un excellent plat cuit à la cocotte.

---

2 pigeons adultes	200 g. de champignons émincés
100 g. de bacon pas trop maigre	1 cuillère à soupe de farine roussie
25 g. de beurre	sel et poivre
1 tasse de vin de Bordeaux	2 feuilles de laurier
150 ml d'eau ou de bouillon	

Plumer et vider les pigeons. Essuyer l'intérieur et l'extérieur du pigeon avec un linge humide. Couper le bacon et frire dans une poêle peu profonde avec un peu de beurre. Ajouter les pigeons et frire légèrement pendant 5 minutes. Transférer le contenu de la poêle dans une cocotte.

Verser le vin et le bouillon dans une casserole. Ajouter les champignons, les feuilles de laurier, le sel et le poivre. Porter à ébullition et réduire. Epaissir avec de la farine selon le besoin. Recouvrir les pigeons. Mettre le couvercle et cuire à feu doux au four (thermostat no. 5, 190°C) jusqu'à ce que la viande soit tendre (1 heure et demie à 2 heures).

Pâté en croûte à la grouse et à la viande de bœuf

Hélas, la grouse rouge d'Ecosse figure presque dans la catégorie des espèces en voie de disparition. Le 'glorieux douzième jour d'août' (la jour de l'ouverture de la chasse à la grouse) n'est donc plus aussi glorieux. Cette grouse qui est reconnue par les *cognoscenti* comme étant le meilleur gibier à plume du monde, maintenant n'existe qu'en Ecosse et dans quelques endroits du nord de l'Angleterre. Laisser attendre au moins une semaine et rôtir les jeunes grouses ; les grouses plus vieilles font un excellent pâté en croûte.

1 grouse adulte	3-4 feuilles de laurier
250 g. de paleron de bœuf	$1/2$ cuillère à café de thym
1 petit oignon	$1/2$ cuillère à soupe de gélatine en poudre
1 clou de girofle	du persil moulu
du céleri	sel et poivre
1 carotte	de la pâte brisée

Désosser la grouse. Faire un bouillon avec les os, les légumes, les plantes aromatiques et l'assaisonnement. Laisser mijoter pendant 3 heures. Ajouter la gélatine et laisser refroidir. Couper la chair de la grouse en tranches, et couper le paleron de bœuf en morceaux. Assaisonner selon le goût.

Prendre un plat à tourte, disposer une couche de bœuf puis une couche de grouse, puis une couche d'oignon et de persil. Finir par une couche de bœuf, ajouter le bouillon et laisser prendre.

Couvrir avec la pâte badigeonnée de jaune d'œuf et cuir 3 heures. Le four doit être chaud au début de la cuisson. Lorsque la croûte commence à dorer recouvrir d'un papier huilé et réduire le feu pour obtenir une chaleur moyenne. Lorsque la cuisson est terminée ajouter le reste du bouillon par un trou pratiqué sur le dessus du pâté. Servir froid.

Haggis

Tout le monde sait que le Haggis est un petit animal poilu, hirsute, qui a l'habitude de traverser à reculons les haies. Il est si insaisissable qu'il vous faudra vous contentez de cette recette pour connaître ce qui est considéré par beaucoup être le plat national de l'Ecosse. Se sert toujours le soir de Burns Night.

1 panse de mouton	de la noix de muscade
le cœur, les poumons et le foie	2 oignons (coupés)
d'un mouton	175 g. de farine d'avoine
1 cuillère à café de sel	grillée
du poivre noir fraîchement moulu	450 g. de graisse de bœuf
du macis	450 ml de bouillon

La recette qui va suivre n'est pas faite pour les gens de faible constitution ! Laver la panse soigneusement à l'eau froide. La retourner et gratter au couteau l'intérieur. Cuire le cœur, le foie et les poumons jusqu'à ce qu'ils soient tendres, en laissant la trachée pendante par dessus le bord de la casserole pour qu'elle s'égoutte dans un bol.

Couper la viande et moudre le foie. Etaler ce mélange et ajouter le sel, le poivre, le macis, la noix de muscade, les oignons, la graisse de bœuf, et la farine d'avoine. Bien mélanger avec le bouillon et remplir la panse avec cette mixture. Laisser un peu de place pour permettre à la farine d'avoine de gonfler pendant la cuisson. Coudre le haggis avec un gros fil ou une fine ficelle.

Piquer toute la surface du haggis avec une aiguille et mettre à cuire dans l'eau bouillante pendant 3 heures. Retirer de la casserole et placer sur un plat chaud. Retirer le fil, ouvrir le haggis et servir très chaud avec une purée de pommes de terre et une purée de navets. Assurez-vous avant de servir de la présence d'un joueur de

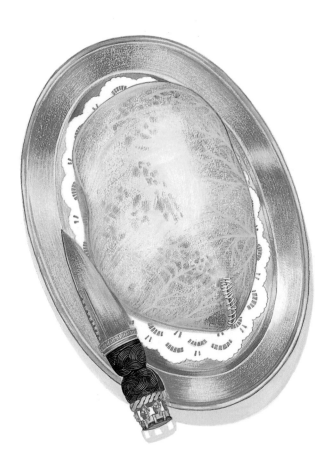

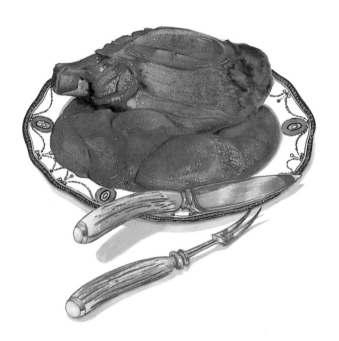

cornemuse en kilt pour vous offrir l'accompagnement musical indispensable.

Rôti de Venaison

On trouve en Ecosse, là où le chevreuil gambade en liberté sur les sommets montagneux, des venaisons classées parmi les meilleures du monde. Cette recette est pour un cuissot rôti, servi avec une sauce traditionnelle.

I gigot de venaison	**Sauce**
(d'environ 2,5 kg)	I verre de porto
pâte faite de farine et d'eau	I cuillère à soupe de gelée de groseilles
sel et poivre	les rognons de chevreuil
2 cuillères à soupe de beurre	I cuillère à soupe de farine
I verre de vin de Bordeaux	I cuillère à soupe de beurre
farine	

La viande doit attendre plusieurs jours avant d'être cuite. Passer une éponge avec de l'eau tiède et recouvrir de beurre. Couvrir de papier huilé et recouvrir ce papier de pâte faite de farine et d'eau afin que toute la surface soit bien enduite. Envelopper dans du papier aluminium et cuire au four pendant 4 heures au thermostat no. 3, ou 160°C.

Retirer le papier aluminium et le papier huilé et vérifier à la fourchette. Assaisonner avec le sel et le poivre gris, saupoudrer la viande de farine, bien arroser avec le beurre fondu et le vin, puis dorer rapidement. Servir avec la sauce chaude.

Pour faire la sauce, frire légèrement les rognons dans le beurre, les mettre de côté et ajouter le porto et l'assaisonnement au jus des rognons. Réduire et lier avec de la farine selon les besoins. Ajouter la gelée de groseilles et porter à ébullition. Napper le cuissot de cette sauce.

La viande de venaison doit toujours être accompagnée d'un bon vin de Bourgogne.

Clootie Dumpling (Boulette dans le linge)

Ce pudding doit son nom au linge dans lequel il est cuit.

175 g. de beurre	450 g. de raisins secs de Smyrne
350 g. de farine	225 g. de raisins secs de Corinthe
100 g. de sucre	1 cuillère à soupe de mélasse
1 cuillère à café de	1 cuillère à soupe de sirop
bicarbonate de soude	2 œufs (battus)
1 cuillère à café de cannelle	du lait pour le mélange
1 cuillère à café de gingembre	

Mélanger le beurre aux ingrédients secs. Faire un puits et y verser le sirop, la mélasse, les œufs battus et assez de lait pour obtenir une pâte ferme. Préparer le linge du pudding en le trempant dans de l'eau bouillante et en le saupoudrant généreusement de farine. Mettre la mixture dans le linge et bien fermer avec une ficelle fine. Laisser assez de place dans le linge pour permettre au pudding de gonfler. Cuire dans de l'eau bouillante pendant 3 heures.

Pudding d'Atholl Brose

A l'origine ce plat était servi en tant que boisson, avec de la crème il devient un dessert épais et délicieux, une sorte de sabayon écossais.

---

300 ml de crème à fouetter
75 ml de whisky
3 cuillères à soupe de miel de bruyère
50 g. de farine d'avoine très fine (grillée)

Battre la crème bien ferme. Incorporer la farine d'avoine avec le miel. Mettre au froid et juste avant de servir ajouter le whisky.

Les fromages écossais

Il y a en Ecosse de délicieux fromages à la saveur particulière, ceux cités ci-dessous figurent parmi mes favoris.

Le Caboc est fabriqué dans les Highlands depuis plus de 400 ans, sa saveur est tout à fait particulière. C'est un fromage blanc crémeux en forme de croquette roulé dans de la farine d'avoine, ce qui lui donne cette saveur noisetté spécifique.

Le Orkney est fabriqué avec du lait écrémé dans les îles Orkney au nord du pays. Il ressemble à un Cheddar doux, et peut être rouge ou blanc. Les fromages fumés sont les meilleurs.

Le Dunlop est similaire au Cheddar, et peut être rouge ou blanc. Il doit son nom à un village du Ayrshire. Barbara Gilmour, une femme du pays, qui s'était réfugiée en Irlande pour fuir les persécutions religieuses à la fin du XVIIème siècle, rapporta cette recette. C'est un fromage tendre et onctueux.

Les fromages Stewart représentent la version écossaise du Stilton. Ils peuvent être bleus ou blancs, et sont légèrement plus doux que le Stilton. Le bleu est généralement plus demandé, le blanc étant assez salé.

Le Crowdie est un fromage très ancien fabriqué traditionnellement dans les fermes des Highlands. On le trouve maintenant dans le commerce, habituellement en cartons car c'est un fromage très mou. Il est fabriqué avec du lait de vache frais et n'est que partielle-ment cuit. Il est excellent pour accompagner les salades, ou étalé sur les galettes d'avoine et les bannocks (un pain plat et rond cuit sans levain).

Gâteau de Dundee

Le dessus de ce gâteau recouvert d'amandes fait souvent son apparition sur les tables écossaises à l'heure du thé, et il est particulièrement apprécié lors des festivités traditionnelles telles que les baptêmes et les anniversaires.

---

175 g. de beurre	75 g. de raisins secs de Corinthe
175 g. de sucre en poudre	75 g. de raisins secs
3 œufs	75 g. de mélange d'écorces de
250 g. de farine	fruits-confits
¹/₂ cuillère à café de	25 g. d'amandes pilées
bicarbonate de soude	75 g. d'amandes blanchies
175 g. de raisins secs de Smyrne	du lait

Il n'est pas nécessaire d'avoir des liens avec Dundee pour confectionner de gâteau — en effet, les origines du nom sont perdues dans la nuit des temps.

Battre ensemble le beurre et le sucre. Ajouter les œufs un à un et bien battre. Ajouter les ingrédients secs, les fruits préparés, et les amandes pilées. Ajouter du lait si nécessaire afin d'obtenir une consistance qui à l'essai tombe facilement d'une cuillère.

Mettre le tout dans un moule beurré et tapissé de papier huilé, et faire un motif sur le dessus de la pâte avec les amandes blanchies. Cuire au four (thermostat no. 4 ou 180°C) pendant 1 heure et demie.

Café à la Drambuie

La Drambuie est la liqueur par excellence de l'Ecosse, elle a un ancien et noble lignée. En fuyant l'armée anglaise Charles Edouard Stuart se réfugia chez les Mackinnon de Strathaird sur l'île de Skye. Pour les remercier de leur hospitalité il leur révéla la recette de sa propre liqueur. On la fabrique toujours, d'après cette recette secrète, qui contient bien sûr du whisky. Le café à la Drambuie est délicieux servi à la fin du repas.

---

1 mesure de Drambuie
1 à 2 cuillères à café de sucre roux
1 pot de café fort
la crème à fouetter

Chaque portion doit être servie dans un verre à pied réchauffé. Verser la Drambuie, ajouter le sucre et remuer, remplir de café jusqu'à environ 2,5 cm du bord. Remuer pour faire dissoudre complètement le sucre, puis verser dans le verre la crème, sur le dos d'une cuillère, de manière à la faire flotter sur la surface.

Edinburgh Rock (Sucre d'orge d'Edimbourg)

Les Ferguson étaient les grands fabricants de sucre d'orge à Edimbourg. Leur recette brevetée ci-dessous a fait le tour du monde.

450 g. de sucre granulé ou de sucre en morceaux écrasés
200 ml d'eau
¹/₂ cuillère à café de crème de tartre

Chauffer le sucre et l'eau jusqu'à ce que le sucre se soit dissous complètement. Juste avant que l'eau ne se mette à bouillir ajouter la crème de tartre et faire bouillir sans remuer jusqu'à ce que la mixture atteigne une température de 130°C, ou bien jusqu'à ce qu'elle forme une boule dure si on la met dans de l'eau froide.

Retirer du feu et ajouter les colorants, si nécessaires. La couleur deviendra moins brillante lorsque la mixture est 'tirée'. Verser la mixture sur un marbre beurré, ou dans des moules à bonbon beurrés. Laisser refroidir légèrement et tourner les bords vers le centre à l'aide d'une raclette huilée, ne pas remuer.

Lorsque la mixture est suffisamment refroidie pour qu'on puisse la toucher, la saupoudrer de sucre glace, et la 'tirer' de façon régulière et rapide, en faisant attention de ne pas la tordre, jusqu'à ce qu'elle devienne opaque et terne. Si la mixture devienne trop raide trop vite cette opération doit être effectuée dans une cuisine chaude ou près d'une source de chaleur. Tirer la mixture en bandes et la découper en morceaux assez courts à l'aide d'un ciseau huilé.

Laisser dans une pièce chaude sur du papier huilé pendant au moins 24 heures. Le 'rock' devient poudreux et mou. Il doit être conservé dans une boîte hermétique. Si la mixture reste collante, cela signifie qu'elle n'est pas été suffisamment tirée.

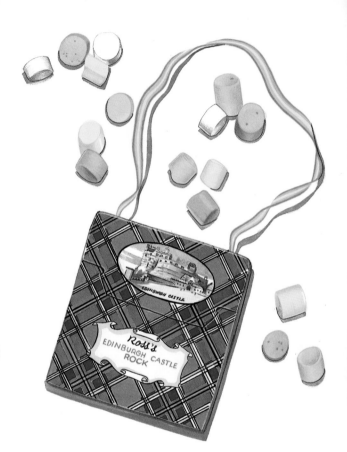

Lecture supplémentaire

Ena Baxter, *Ena Baxter's Scottish Cookbook,* Stirling, 1974.

Catherine Brown, *Scottish Regional Recipes,* Glasgow, 1981.

Theodora Fitzgibbon, *A Taste of Scotland,* Londres, 1970.

The Lady Glentruim, *Dinners in a Scottish Castle,* Edimbourg, 1983.

F. Marian McNeill, *The Book of Breakfasts,* Edimbourg, 1975.

F. Marian McNeill, *Recipes from Scotland,* Edimbourg, 1946.

F. Marian McNeill, *The Scots Kitchen,* Glasgow, 1925.

Janet Murray, *With A Fine Feeling for Food,* Aberdeen, 1972.

Queen's College, Glasgow, *The Glasgow Cookery Book,* Glasgow, 1975.

Janet Warren, *A Feast of Scotland,* Londres, 1979.

Molly Weir, *Molly Weir's Recipes,* Edinburgh, 1980.

Indexe